MI JARDIN

Tomo 3

Pimpones de Color

Disfraces, máscaras y maquillaje

Zamora

Editor
Gustavo de Elorza Martínez

Dirección
Patricia de Elorza Ajamil
Psicóloga

Autoras
Investigación y elaboración de técnicas:
Elsa Rodríguez
Preescolar
Sandra Báez
Diseñadora de modas
María Constanza Pérez
Psicóloga
Diana Arias
Maquillaje

Coordinación editorial
Fabio Rodríguez P

Corrección de textos
Mario Méndez

Fotografía
Edna Galvis

Diseño editorial
Marcela Cardona
Fabio Rodríguez

Diseño de carátulas
Volney Tovar

Preprensa digital
Fotolito Colombia Ltda.

© **ZAMORA EDITORES LTDA.**
Calle 35 No. 19-21
Teléfono 288 89 00
Bogotá D.C. - Colombia

Primera edición
Cuarta reimpresión
10.000 ejemplares
Año 2006

ISBN: **Obra completa**
958-677-162-8

ISBN: **Tomo 3**
Disfraces, máscaras y maquillaje
958-677-165-2

Impreso en Colombia por:
Printer Colombiana S.A.
Actúa sólo como impresor.

Mi jardín
Pimpones
de color

Índice

Tomo I
Técnicas de expresión artísitca

Tomo II
Cocina de niños para niños

Tomo III
Disfraces, máscaras y maquillaje

Tomo IV
Regalos y fechas especiales

A padres y maestros

La elaboración de disfraces, máscaras y maquillaje es un divertido reto creativo. El disfraz estimula la fantasía de los niños y la imaginación del adulto, que se aventura a su diseño y elaboración. Como actividad, ocupa un lugar preferente entre las opciones que tienen los niños, lo que amerita dedicar tiempo y espacios para su confección y uso. Niños y adultos pueden trabajar dentro de una amplia gama de temas, desde los más complejos y elaborados (con telas y adornos de fantasía) hasta los más sencillos, utilizando materiales como papel y cartón.

Las máscaras han sido usadas en diferentes culturas como un medio de expresión de costumbres y tradiciones. Hoy día siguen siendo un accesorio importante en fiestas y carnavales, cobrando gran importancia dentro de los atuendos utilizados. Los niños hacen uso de ellas para expresar su fantasía y por sí solas tienen un valor lúdico. También se pueden elaborar con una gran variedad de materiales como papel, arcilla, elementos reciclables, etc., posibilitando el uso de diferentes técnicas en su elaboración.

El maquillaje, como una posibilidad de expresión artística, da múltiples posibilidades de creación para que el niño se involucre y se recree con diversos personajes. Finalmente, un maquillaje se logra con pintura apta para la cara que se puede encontrar en cualquier tienda de disfraces.

En este libro encontrará una maravillosa guía para transformar al niño en una forma fácil, sencilla y muy económica en el personaje que él desee. Es importante tener en cuenta que para la realización de cualquier opción no es necesario ser experto en costura ni haber hecho curso alguno de modistería, escultura o maquillaje; sólo se necesita hacer la elección y buscar los materiales, y manos a la obra.

Pasos que debe seguir

1. Escoja en el libro el disfraz, la máscara o el maquillaje que desea elaborar. Es importante involucrar al niño en esta elección.
2. Busque los materiales que va a necesitar.
3. Siga los pasos de lo que va a realizar. Para los disfraces, es importante tomar las medidas del niño, ya sea siguiendo la tabla de medidas sugerida o directamente en el niño.
4. Escoja un sitio en donde pueda trabajar con tranquilidad y en donde el niño pueda colaborar en la elaboración del disfraz.
5. Deje volar su imaginación y realice todas las modificaciones que desee para que su disfraz sea una verdadera obra de arte.

Para la utilización de los patrones deberá:

1. Ubicar el disfraz que se desea realizar.
2. En las instrucciones de los disfraces, siempre encontrará la indicación del patrón que debe utilizar.
3. Debe buscarlo en el pliego de patrones que viene adjunto a la enciclopedia.
4. Aquí encontrará todos los patrones de los disfraces que se necesitan. Cada patrón está pintado en un color diferente para mejor ubicación.
5. Con una hoja de papel mantequilla, se deberá calcar el patrón deseado.
6. Antes de cortar, deberá comparar con la tabla de medidas o con las medidas del niño y realizar los ajustes necesarios, ya sea aumentando o disminuyendo el largo o el ancho del disfraz.
7. Recorte el molde y colóquelo sobre la tela, la cartulina o el papel que vaya a utilizar para el disfraz.
8. Con una tiza o un lápiz, pinte el molde para después recortar.

Importante

En la elaboración de un disfraz o una máscara, no olvide utilizar materiales que no sean peligrosos para el niño. Si estos ofrecen algún riesgo, no deje que el niño los manipule y hágalo usted directamente.

Las máscaras deben ser realizadas con materiales no tóxicos. Si la máscara se elabora sobre la cara del niño, deberá usarse vaselina para que el niño no se irrite.

Finalmente, para el maquillaje se deben comprar pinturas especiales para esto. Si usted observa que el niño presenta una reacción alérgica, retírelo inmediatamente de la cara con crema limpiadora.

Tabla de medidas en cm para niños de 1 a 12 años

Edad	Contorno de pecho	Contorno de cintura	Contorno de cadera	Largo de talle	Largo de brazo	Largo de falda	Largo de pantalón	Tiro	Ancho de espalda	Contorno puño
1	53	52	59	19	25	23	21	18	22	12
2	56	53	61	21	27	25	23	18½	24	14
3	58	55	63	22	29	27	25	19½	24	14
4	60	56	66	24	32	29	27	20	25	15
5	62	58	71	26	33	31	29	21	26	15
6	63	59	74	28	37	34	31	21½	27	16
7	65	60	76	29	40	36	33	22	27	16
8	66	60	78	30	42	38	35	23	29	17
9	68	60	81	32	44	41	37	24	29	17
10	71	60	84	33	47	45	38	26	31	18
11	73	60	84	34	49	48	39	26	31	18
12	75	60	86	35	52	50	40	27	32	19

Las medidas de esta tabla son aproximadas y no deben emplearse para las prendas o partes de las mismas que han de tener tamaño exacto. En la elaboración de los disfraces se sugiere aumentar 2 ó 3 cm para que queden olgados.

El largo total de pantalón corresponde a la suma del largo de pantalón más el tiro.

Accesorios

Los accesorios son todos aquellos adornos que harán que tu disfraz, máscara o maquillaje cobre vida.

Para tener una amplia gama de accesorios deberás guardar en una caja todo lo que te pueda servir, como joyas viejas, sombreros, lanas, adornos, plumas, lazos, tubos de papel, etc.

Además de estos implementos que tú puedes libremente adicionar a tus creaciones, en este capítulo te enseñaremos a confeccionar otros accesorios de gran utilidad, tales como sombrero de cono, sombrero de copa, pelucas, diademas, lazos, abanico, estrellas.

Sombreros

Para la elaboración de un sombrero, lo primero que se debe hacer es pensar en las características del mismo, como son la altura y la forma. Los sombreros de cono son generalmente los usados en los disfraces de japonesa, bruja, payaso, lápiz, etc. Y los de copa, los usados en el disfraz de árbol, mago, etc.

A cada sombrero se le puede hacer el diseño que se desee, pintándolo y pegándole apliques al gusto.

Sombreros de cono chino

$\mathcal{E}$n el caso de los sombreros como en el de algunos otros elementos que ya veremos más adelante, la construcción se realiza a partir de figuras básicas como círculos, cuadrados y triángulos. Por ello, es bueno contar a mano con tus conocimientos en geometría.

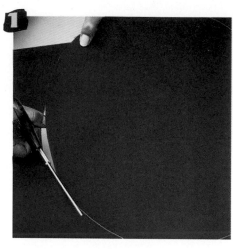

Dibuja y recorta un círculo de 60 cm de diámetro.

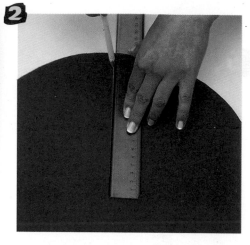

Traza una línea desde el borde hasta el centro del círculo, siguiendo el radio del mismo.

Realiza un corte desde el borde hasta el centro, siguiendo el radio trazado.

Forma un cono amplio con el borde inferior y fija los lados con pegante.

brujo

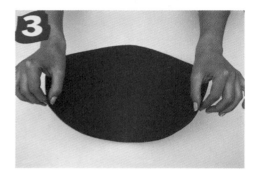

Para que el sombrero tenga mayor altura deberás hacer un círculo más grande.

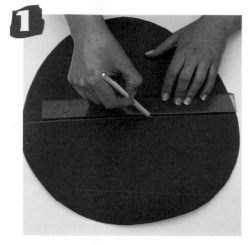

Como en el caso anterior, recorta un círculo de 60 cm de diámetro y traza una línea que lo atraviese, pasando por el centro.

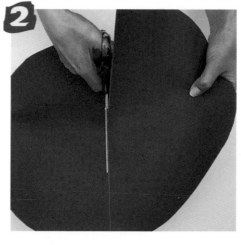

Realiza un corte siguiendo la línea trazada para obtener dos mitades.

Enrolla los extremos del semi-círculo en un cono y fija los lados con pegante.

Con un punzón, ábrele dos huecos a cada lado en la parte inferior, métele el caucho y hazle un nudo en cada punta. Decóralo a tu gusto.

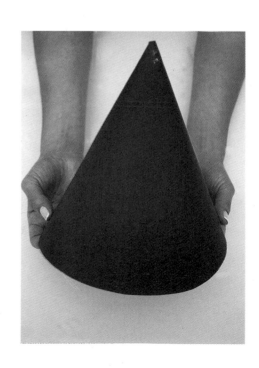

Sombrero de copa

*R*ecorta un círculo de 10 cm de diámetro. Saca uno más pequeño del centro, formando un aro.

Recorta una tira según lo alto que quieras el sombrero. Asegúrate de que tenga las mismas medidas del diámetro del aro.

Pega los extremos para formar un cilindro.

Córtale pestañas a uno de los extremos del cilindro.

Córtale pestañas al círculo.

Pega el círculo en el extremo superior del cilindro, teniendo en cuenta que las pestañas queden en el interior. Pega el aro en el extremo inferior del cilindro, colocando las pestañas en el interior. Decóralo como desees.

Pelucas

Las pelucas son accesorios que complementan todos tus disfraces. Tú las puedes hacer de una forma muy sencilla usando lanas de los colores que desees. Igualmente puedes elaborar trenzas, coletas o los peinados necesarios para que tú disfraz resplandezca.
Pídele a alguien que coloque los brazos hacia el frente para que tú puedas enrollar la lana.
Corta la lana por los lados donde se encuentran las manos.

Divide las lanas por la mitad, realizando un nudo en el centro.

Puedes hacerle trenzas o coletas o cortarle flequillo para darle más volumen.

Lazos... simples

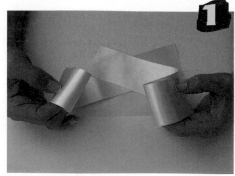

Toma una cinta y realiza una lazada en cada uno de sus extremos.

compuestos

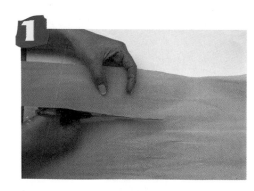

Toma un pedazo de papel rectangular del tamaño deseado.

Dóblalo por la mitad, haciendo pliegues.

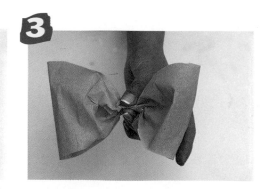

Pásale una puntada o pégale un pedazo de cinta en forma tal que no se deshaga.

 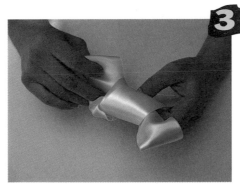 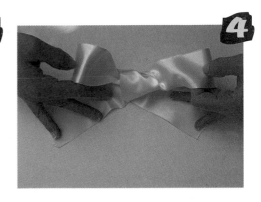

Introduce una lazada dentro de la otra, haciendo un nudo.

Hala los dos lados del lazo.

Finalmente, hala las puntas.

Realiza el mismo proceso con papel de otro color.

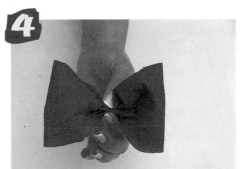

Envuelve ambos lazos con una tira del mismo material.

Pega la tira a los lazos, por la parte posterior.

Diademas

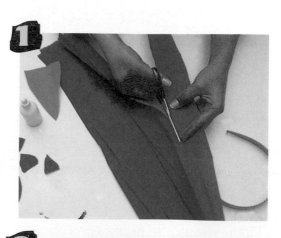

Corta una tira de papel crepé de 10 cm de largo por 3 cm de ancho.

*L*as diademas son accesorios que tú puedes diseñar de acuerdo con el motivo de tu disfraz.

Puedes realizarlas con otras diademas y pegarles lo que desees.

Empieza a darle vueltas hasta forrarla totalmente y al final pega la tira a la diadema.

Abanico

Dibuja un rectángulo de aproximadamente 30 por 20 cm en una cartulina.

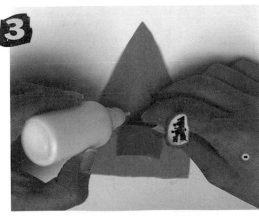

Dependiendo de la diadema que desees realizar, corta en cartulina formando flores, carros, etc. También puedes usar palos o pimpones como antenas.

Pega los accesorios al interior de la diadema.

Recórtalo con unas tijeras.

En el rectángulo, realiza pliegues de aproximadamente 1 cm.

Une con un gancho o grapa uno de los extremos, para darle la forma al abanico.

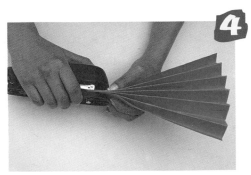

Estrellas

1

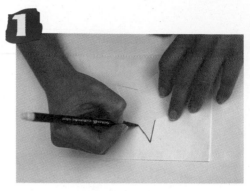

Utiliza la plantilla de la estrella (que encontrarás en la página de enfrente).

2

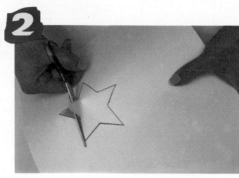

Píntala en una cartulina y recórtala.

3

En papel aluminio, recorta otra estrella 5 cm más grande que la anterior.

Zapatos

$\mathcal{L}$os zapatos son accesorios opcionales para embellecer tus creaciones. Estos pueden ser desde los más simples hasta los más elaborados. Una forma muy fácil y económica es forrar con papel o tela un par de zapatos o unas botas. El papel aluminio o el papel crepé son materiales muy maleables para forrar.

1

18

4

Forra la estrella pequeña de cartulina con la estrella de papel aluminio.

Zapatones o bota del pirata

1. Con las medidas de tus piernas, elabora la plantilla según el modelo.
2. Colócala sobre el papel y corta dos piezas iguales.
3. Pega la parte ovalada en uno de los extremos del rectángulo.
4. Coloca velcro en la parte trasera para asegurar la bota a tu pierna.
5. La bota la podrás colocar sobre coalquier zapato.

Encuentra los esquemas básicos para los dos tipos de zapatos en la siguiente página.

Botas

1. Mide el largo de tu pie y elabora la plantilla según el modelo.
2. Colócala sobre la tela y píntala.
3. Realiza la plantilla del tamaño de tus pies.
4. Copia la plantilla, colócala sobre la tela y corta. Recuerda que deberás tener 2 cortes para cada pie.
5. Cose las dos partes y tendrás un par de zapatones espectaculares.

2

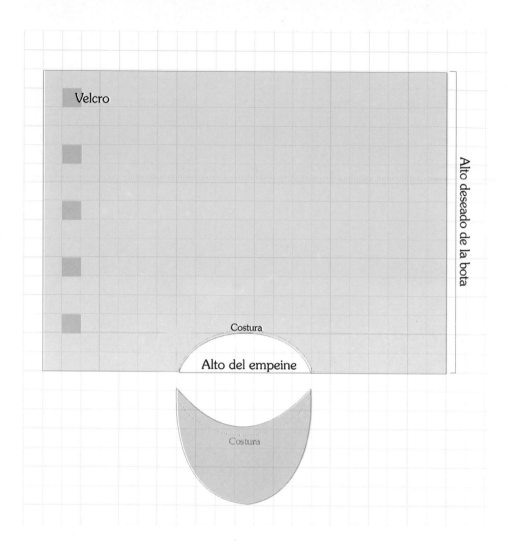

Velcro

Alto deseado de la bota

Costura

Alto del empeine

Costura

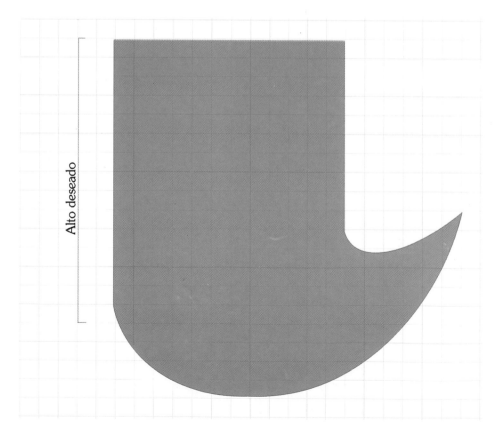

Alto deseado

20

Trajes en cartulina y papel craft

*E*n esta unidad trabajaremos disfraces hechos en papel y en cartulina que te permitirán realizar espectaculares diseños y crear una gran variedad de opciones para que puedas divertirte. Este tipo de materiales viene en diferentes grosores y los puedes encontrar en el mercado, presentados en una gran variedad de colores. Su textura lisa permite que realices los diseños que tú quieras, ya que absorben la pintura y fijan los materiales de decoración con mucha facilidad.

La cartulina es un tipo de papel fuerte y sólido; el cartón cartulina es una mezcla entre el cartón y la cartulina que lo hace más fuerte y resistente. Finalmente, el cartón pluma está formado por cartulina y poliestireno, haciéndolo un poco más ligero que los anteriores.

El papel craft es ligero y fácil de manejar, y, aunque permite una gran maleabilidad, para cortarlo hay que tener cuidado con la manipulación del mismo, ya que se puede romper fácilmente.

Disfraces propuestos: Naipe, Muñeca, Muñeco, lápiz, calabaza, sol, luna, mariposa, señor y señora, florero, tronco, espantapájaros, japonesa.

Naipe

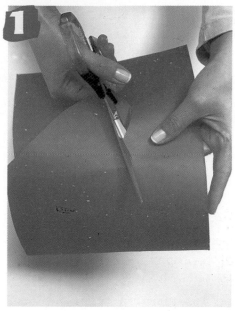

Materiales

1   ½ pliegos de
    cartón-cartulina blanca
1   pliego de cartulina roja
    Pintura roja
    Lentejuelas (opcional)
    Tijeras
    Pegante
    Caucho

Corta el traje según el patrón rojo que encontrarás en el pliego de los moldes básicos.

Con la cartulina roja, corta 4 corazones de unos 13 cm y dos de 6 cm.

Muñeca

Yo tengo una muñeca
vestida de azul,
zapatitos blancos,
delantal de tul...

Materiales

1   pliego de cartón cartulina
    Pintura de colores
    Papel crepé rosado
    Cinta rosada y morada
    Escarcha
    Lentejuelas
    Pinceles
    Pegante
    Lana
    Caucho

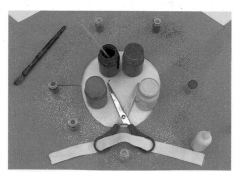

Realiza el traje siguiendo el patrón que encontrarás impreso en rojo en el pliego de patrones.

Con tu disfraz, usa una trusa blanca.

Pégalos en la cartulina blanca, colocando 3 de los grandes en el centro de una de las caras. Pega en las esquinas cada uno de los corazones pequeños. Pinta el número correspondiente (3) debajo de los corazones pequeños.

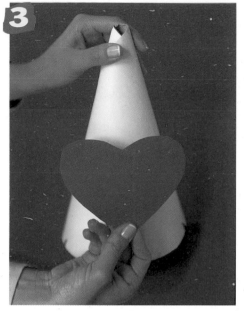

Para la cabeza

Realiza el sombrero de acuerdo con el patrón del sombrero cono (ver página 11). Pega un corazón en la mitad del gorro. Decora el borde de éste con lentejuelas.

Usa el disfraz con una trusa roja.

Para simular la cintura, haz dos cortes triangulares a los lados. Pinta flores y puntos por todo el vestido.

Corta una tira de papel crepé de 6 cm de grueso y pégala al vestido simulando el cinturón. Decóralo con un lazo de papel crepé como lo indica la página 14

Para la cabeza

Realiza un peluca según el patrón de la página 13. Amárrale dos lazos, cada uno a un lado, simulando las coletas.

Muñeco

o tengo un muñeco
un muñeco de trapo
ni alto ni bajo
ni gordo ni flaco.

Materiales

Cartón cartulina
Pintura negra
Tijeras
Escarcha
Pinceles
Pegante
Caucho

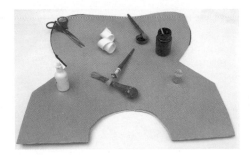

Realiza el traje, siguiendo el patrón que hallarás impreso en rojo en el pliego de patrones.

Pinta de negro el pantalón en la parte inferior y los tirantes, por las dos caras.

Lápiz

Materiales

1   pliego de cartón cartulina
2   sprays amarillo y púrpura
    Pintura negra, púrpura café y blanca
    Caucho
    Tijeras
    Pinceles
    Hilocaucho

Realiza el traje, siguiendo el patrón que hallarás impreso en verde en el pliego de patrones. Píntalo con spray amarillo.

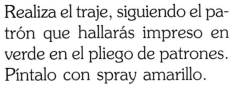

2

Pinta el corbatín y los botones blancos en la cara posterior del disfraz.

Adicionalmente podrás
hacerle unas botas,
como las que aparecen
en la página 19.

*Usa el disfraz con una
trusa blanca.*

En la parte superior del vestido pinta triángulos cafés y decora con visos blancos. En la
parte inferior pinta una franja
de color purpura.

3

Para la cabeza

Realiza un sombrero según el
patrón de la página 11 y decóralo con la punta de negro
y el resto como el vestido.

*Con tu disfraz, usa
una trusa amarilla.*

2

25

Luna

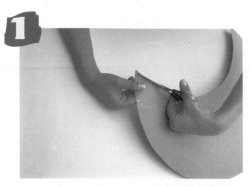

1 Corta un círculo de 50 cm de diámetro y con un plato corta un pedazo del círculo para simular la luna.

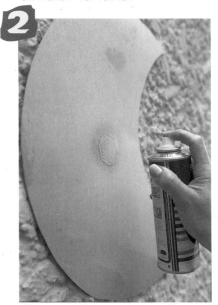

2 Pinta con spray plateado y deja secar.

Materiales

1   pliego de cartón cartulina
1   spray plateado
1   pliego de papel aluminio
    Cartulina
    Tijeras
    Velcro

*El Sol se quiere casar,
casar con la Luna,
la Luna dijo que sí
y el Sol se puso feliz.*

*Utiliza
una trusa
negra.*

3 Realiza una estrella con papel aluminio (ver pág. 18) y úsala como accesorio para la trusa.

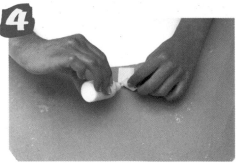

4 Coloca un pedazo de velcro en la parte trasera de la luna,

5 y otro sobre la trusa que vas a utilizar para sostener el disfraz.

26

Sol

1

En el pliego de cartón cartulina, realiza un diseño irregular, para simular los rayos del sol.

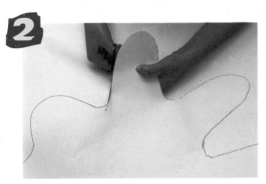

2

Corta los bordes de tu diseño con unas tijeras y lija los bordes para darle perfección.

*S*ol solecito,
caliéntame un poquito,
por hoy, por mañana,
por toda la semana...

Materiales

1 pliego de cartón cartulina
   Spray dorado y amarillo
1 pliego de cartón paja
   Velcro
   Bisturí
   Lija

Para tu disfraz utiliza una trusa amarilla.

3

Pinta con spray dorado y amarillo y deja secar.

4

Corta un círculo de cartón paja de 30 cm, píntalo con spray plateado, déjalo secar y pégalo en el centro del molde anterior.

Pégale a la altura del pecho en la trusa un pedazo de velcro, y en la parte trasera del sol pega el otro pedazo de velcro para sostener el vestido, al igual que se hace en el disfraz de luna.

Calabaza

Materiales

2 pliegos de cartón cartulina
  Pintura negra y amarilla
  Spray naranja
  Caucho ancho
  Escarcha
  Papel crepé verde

Corta dos círculos de 50 cm de diámetro, para realizar las caras anterior y posterior de tu calabaza.

Pinta los círculos con el spray naranja.

Pinta con negro la cara de la calabaza y decora con escarcha.

Para la cabeza

Con una cinta de papel crepé verde, hazle un lazo.

Une las dos caras con tirantes de velcro.

Utiliza una trusa amarilla.

28

Mariposa

Las mariposas que van
por el aire
vuelan, vuelan,
vuelan, vuelan, vuelan.

Materiales

2   ganchos metálicos
    de ropa
2   pimpones
    Alambre dulce
    Cartón cartulina
    Papel crepé rosado y
    verde
    Spray de colores
    Tijeras
    Caucho
    Diadema
    Escarcha

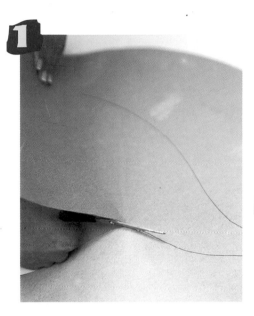

Corta el cartón cartulina con la forma de las alas de la mariposa.

Pinta las alas con spray de varios colores.

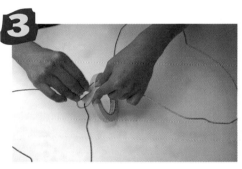

Para armar el cuerpo, une los dos ganchos con alambre dulce. Pégalos a la parte de atrás de las alas.

Para asegurarlo, pega le velcro a las alas y al dizfraz del niño.

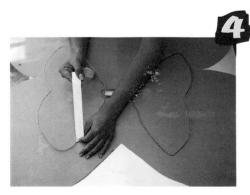

Toma las medidas de pecho y cintura del niño y corta dos tiras de papel crepé, y pégalas a la trusa para formar el cuerpo del gusano.

Para la cabeza

Forra la diadema como lo indica la página 16. Pégale dos pimpones con pegante para simular las antenas. Usa una trusa de cualquier color.

Señor y señora

Materiales

4   pliegos de papel craft
       Pintura de diferentes
       colores
       Pinceles
       Pegante
       Spray rojo y negro
       Velcro

Realiza los trajes según el patrón impreso en verde que encontrarás en el pliego de patrones.

Para el traje del señor haz con lápiz el diseño del traje. Pinta con blanco la parte de la camisa, haz luego la corbata y finalmente diseña los botones.

Florero

Material

1   pliego de papel craft
1   metro de velcro
1   diadema
       Pintura de diferentes
       colores
       Pinceles
       Pegante
       Spray azul
       Papel crepé verde
       Cartulina de varios
       colores

Corta el traje según el patrón impreso en verde que encontrarás en el pliego de patrones.

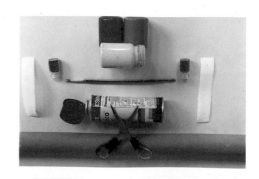

Para el traje de la señora pinta de color rojo el traje. Deja secar y diseña las flores. Finalmente decora con escarcha.

Para los zapatos

Haz unas botas como lo indica el patrón de zapatos de la página 19.

Usa una trusa gris para el disfraz de señor, y una trusa roja para el disfraz de señora.

Pinta con el spray azul el pliego de papel y deja secar.

Con vinilos, realiza el diseño que desees. Utiliza varios colores.

Para la cabeza

En la página 16, mira cómo se forra una diadema.
Con la cartulina, recorta flores de diferentes colores y pégalas a la diadema.

Utiliza una trusa azul.

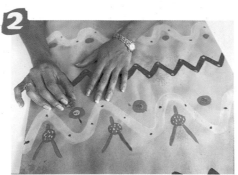

Tronco

Materiales

1   pliego de papel craft
1   pliego de papel crepé verde
1   metro de velcro
     Pintura y spray café y verde
     Pinceles
     Pegante
     Tijeras

Realiza el traje según el patrón verde que encontrarás en el pliego de los patrones.

Pinta el traje con el spray café.

Con el color verde, pinta curvas simulando caracoles Recorta figuras similares con el papel crepé y pégalas encima de algunos de los caracoles pintados.

Sobre cartón cartulina, dibuja la silueta de dos ramas y córtalas.

Píntalas de color café.

Recorta hojas verdes de papel crepé y pégaselas al tronco. Pega las ramas a los costados del tronco.

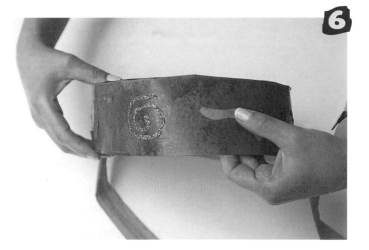

Para la cabeza

Haz un sombrero de copa como lo indica la página 12, sin colocarle el ala inferior, y decóralo igual que el traje.

Añade dos cintas de papel crepé a cada lado para amarrarla a tu cabeza.

*Para tu disfraz,
usa una trusa verde.*

Espantapájaros

Materiales

1 pliego de papel craft
    papel crepé de diferen-
    tes colores
    Pegante
    Tijeras
    Velcro
    Sombrero de paja
    Cintas de colores

Realiza el traje según el patrón azul que encontrarás en el pliego de patrones y píntalo con spray café.

Corta tiritas de papel crepé de diferentes colores. Pega 4 tiras con 1 cm de distancia. Cerciórate de pegar sólo los dos extremos de cada cinta. Trenza cuatro tiritas entre ellas.

Japonesa

Realiza el traje según el patrón azul que encontrarás en el pliego de patrones.
Pinta el traje con el spray negro.

Materiales

1 pliego de papel craft
1 pliego de papel crepé
    fucsia
1 pliego de cartulina
    rosada
    Spray negro
    Pintura de diferentes
    colores
    Pinceles
    Pegante

Elabora un lazo como lo indica la página 14 y pégaselo al vestido.

Para la cabeza

Pega cintas al sombrero de paja.

Para tu disfraz usa una trusa café.

Estampa con flores amarillas.

Corta una cinta de papel crepé fucsia y pégala en el centro, simulando el cinturón.

Accesorios

Realiza un sombrero según el patrón de la página 10 y píntalo con los mismos diseños del vestido.

Realiza un abanico como lo indica la página 16.

Trajes en tela y papel crepé

*E*l papel crepé o rizado —como lo llaman en algunos países— y la tela son materiales fuertes y económicos y pueden comprarse en una amplia gama de colores.

El papel de esta clase ofrece la oportunidad de ser tratado como papel o como tela, ya que es fácil de cortar, moldear y hasta de coser.

Permite darles vuelo a los vestidos y es muy fácil de trabajar.

Para realizar estos disfraces no es necesario saber modistería, ya que en muchas ocasiones tú los puedes coser o pegar con pegante o grapas, logrando el mismo efecto.

Trajes propuestos Bruja, Caperucita Roja, Indio, Pastor, Fantasma, Hawaiana, Payaso, Flor

Patrones para capa y cuello

Materiales

Tela
Lana
Lápiz
Tachuela o chinche
Tijeras

Capa

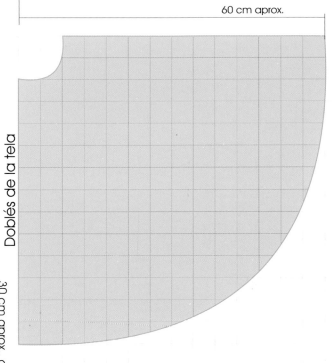

60 cm aprox.

Doblés de la tela

Cuello

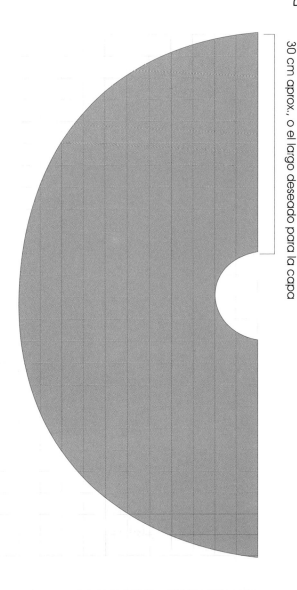

30 cm aprox., o el largo deseado para la capa

1. Para hacer la capa se toman las medidas a lo largo de la espalda del niño, desde el cuello hasta el largo que se quiera.
2. Dobla la tela por la mitad.
3. Dibuja un arco sobre la tela, usando una tachuela que se coloca en la esquina donde está el doblez y un lápiz anudado con un cordel a la tachuela.
4. Corta por donde pasa el lápiz.
5. Finalmente, corta alrededor de la esquina para hacer la abertura del cuello.

Bruja

Había una bruja
loca en la calle 22
no sabe hacer brujerías
porque ya se le olvidó...

Materiales

1   metro de tela negra
50   cm de tul negro brillante
     Animales de plástico
     Hilo y aguja
     Tijeras
     Lentejuelas
     Pegante

Realiza el traje según el patrón morado que encontrarás en el pliego de patrones, con la tela negra.

Decora con lentejuelas.

Fantasma

Material

1   metro de tela blanca
     Lentejuelas plateadas
     Pegante
     Tijeras
     Hilo y aguja
     Cartulina

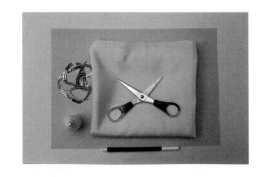

Corta la tela en forma de cuadrado, de modo que al doblarlo por la mitad nos de la altura del niño.

Elabora la capa como lo indica la página 37 y cósele animales para decorarla.

Decora tu disfraz con una escoba voladora y unas botas como lo indica la página 18.

Para tu disfraz usa una trusa negra.

Para la cabeza

Elabora un sombrero de bruja como lo muestra la página 11.

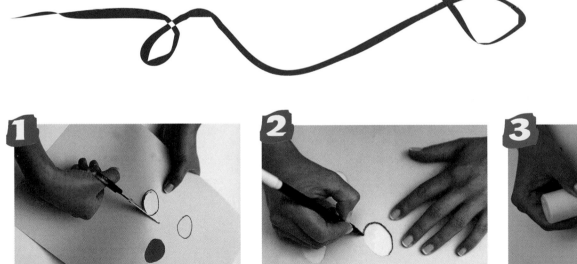

1 En una cartulina, pinta los ojos y la boca y después recortalás para hacer la plantilla de la cara.

2 Dibuja la cara del fantasma en la mitad del cuadrado, a la altura de la cara del niño.

3 Decora con lentejuelas. Recorta los orificios y, si quieres, hazle un dobladillo a la tela para que no se te deshaga.

Caperucita roja

Caperucita cruzó el prado
con un cestico bien cerrado
a su abuelita que está enferma
le lleva bollos y pan tierno
Caperucita, Caperucita, mira
que el lobo es muy malo.

Materiales

1   metro de tela roja
1   metro de caucho grueso
    Cinta roja
    Hilo y aguja
    Lentejuelas rojas

1

Para hacer la falda, corta una tira de tela de dos veces la medida de la cintura de la niña para el largo deseado, aumentando 2 centímetros.

Soy un indiecito
voy tocando mi tambor
llevo en mi cabeza
cinco plumas de color

Materiales

1   metro de tela beige
1   metro de velcro
    Pintura de diferentes colores
    Cinta de tela en diferentes colores y/o bordada
    Pinceles
    Pegante
    Spray azul

Realiza el traje según el patrón café (la parte que corresponde a la camisa sin mangas) que encontrarás en el pliego de patrones.

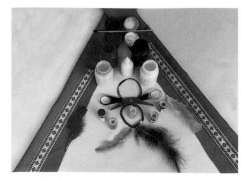

2

Realiza un doblez de 2 cm por el largo de la tira y cóselo. Introduce un caucho por el agujero.

4

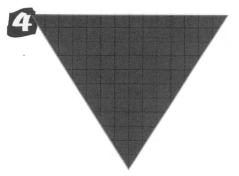

Para la cabeza

Corta un triángulo de la misma tela, para simular una pañoleta.

Indio

Pinta sobre el vestido los diseños que desees.

1

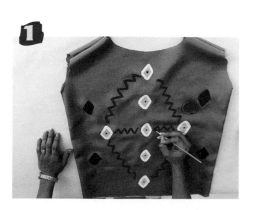

3

Frunce la tela para darle volumen a la falda. Elabora la capa como lo indica la página 37.

Para la cabeza

En un trozo de cinta de tela, pega plumas para hacer la cintilla.

3

Cose la cinta en el borde del cuello, el ruedo y las mangas.

2

Pastor

Materiales

1   metro de tela blanca
    con apliques dorados
1   cordón dorado
    Hilo y aguja

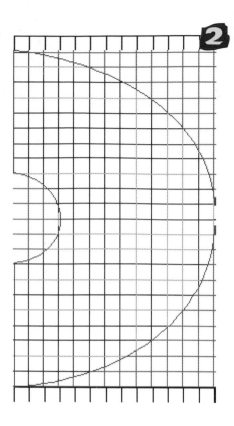

Realiza la bata según el patrón
morado.

Elabora el cuello según la plantilla que encuentras en esta página.

*E*sta es la historia de
un payaso
que en el circo trabajaba
su vestido de pepitas
los zapatos sin atar
el payaso aquel
que reía ja ja ja
que cantaba la la la

Material

Papel crepé de tres colores
diferentes
Lana
Hilo
Velcro
Pegante
Aguja
Tijeras

En papel mantequilla, corta los
moldes de la blusa como lo indica el anexo de patrones de
color café.

Para la cabeza

Corta una tira de tela para formar la diadema. Y un cuadrado para formar el velo.

Átale al niño el cordón dorado en la cintura, dejando caer los lazos.

Payaso

Colócalos sobre el papel crepé, tratando de utilizar para la blusa los colores combinados. Cose las piezas o asegúralas con pegante.

Corta los moldes del pantalón como lo indica el anexo de patrones.

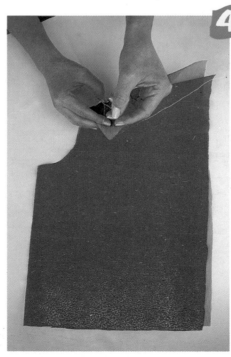

Colócalos sobre el papel crepé, tratando de utilizar también los colores combinados. Cose las piezas o únelas con pegante.

Corta un círculo de papel crepé de 5 cm. Pégaselo al vestido, combinando los colores.

43

Hawaiana

Materiales

Papel crepé de varios colores
Brasier de vestido de baño para niña
Pegante
Tijeras
Hilo y aguja
Brochas

Para la falda

Con la medida de la cintura del niño, corta una tira de cartulina de 3 cm de ancho para hacer la pretina de la falda.

Fórrala con papel crepé del que vas a utilizar para la falda.

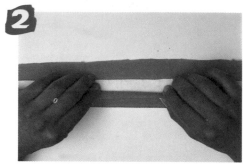

Corta tiras de aproximadamente 4 cm de ancho por 15 cm de largo de papel crepé. Combina diferentes colores.

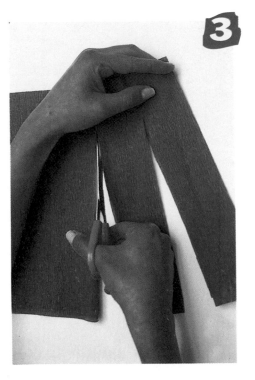

Extiende la pretina y pega todas las tiras recortadas.

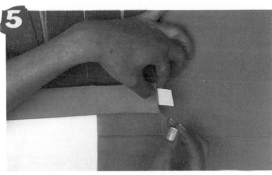

Para cerrar la falda, cose velcro en los extremos de la pretina.

Para confeccionar la blusa, recorta flores de diferentes colores de papel crepé.

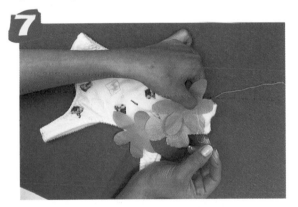

Cóselas o pégalas al brasier hasta cubrirlo.

Para los collares, utiliza flores similares a las que hiciste para la blusa, y únelas pasando un hilo por la mitad.
Anúdalas al final.

Flor

Materiales

Papel crepé rojo,
amarillo y verde
Pegante
Tijeras
Cartulina
Lentejuelas

Para la cabeza

Toma la cartulina y recorta un
circulo abierto por la mitad en
forma de aro.
Recorta pétalos de papel crepé rojo y, unos más pequeños
de papel amarillo.

Pega cada pétalo amarillo encima de cada rojo.
Ahora, pégalos uno seguido del
otro por todo el borde del aro
hasta formar la parte exterior
de la flor.

Para formar el tallo de la flor,
corta hojas verdes de diferentes tamaños en papel crepé.
Únelas por el tallo y pégaselas a la trusa.

Usa una trusa verde.

46

Trajes en caja e icopor

Las cajas y los cartones son por lo general material de desecho, por lo cual son muy económicos y muy fáciles de conseguir.

Son materiales de alta durabilidad que dan un sin numero de alternativas para elaborar los disfraces.

Disfraces propuestos: Tortuga, Caballero de armadura, Mago, Regalo, Carro, Pecera, Piña, Muñeco de nieve

Tortuga

Materiales

2 cajas portamanzanas
   Pinturas amarilla y roja
   Spray verde
1 pliego de papel crepé
   amarillo
   Pinceles
   Pegante
   Caucho ancho

Pinta con el spray verde las dos tapas de cartón.

Caballero

Materiales

3 cajas portamanzanas
1 pliego de papel crepé dorado
   Piedras preciosas de fantasía
   Spray plateado
   Escarcha
   Cartulina
   Pintura roja
   Pegante
   Caucho

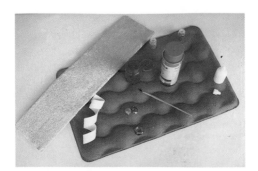

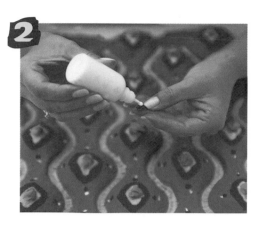

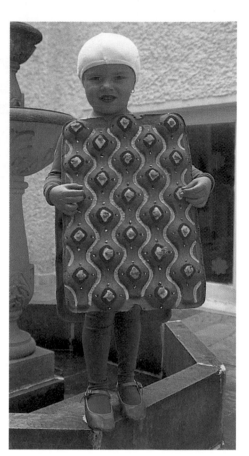

Diseña el caparazón de la tortuga, realizando diseños que se acomoden a los contornos de las cajas.
Utiliza bolitas de papel crepé para decorarlo.

Con un caucho grueso, haz dos tiras que pegarás de los dos hombros y servirán de tirantes.
También, coloca tiras a los lados para dar más firmeza.

de armadura

Pinta con el spray plateado las tres cajas. Une dos con caucho, simulando los tirantes. Selecciona uno de ellos para el frente.

Recorta el papel dorado en forma de pechera y una tira de 4 cm de ancho para hacer el cinturón.

Pegalos en el frente de tu disfraz y decora con las piedras preciosas.

Para el escudo

Realiza un diseño con pintura roja y pégale pedazos de papel crepé dorado.

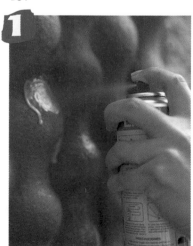

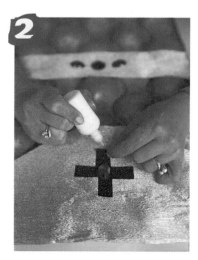

Para cogerlo, pega una tira de caucho por las dos puntas.
Forra unas botas con papel dorado. Para tu disfraz, utiliza una trusa negra.

Pecera

*L*os pecesitos
que van por el agua
nadan, nadan,
nadan, nadan, nadan,

Materiales

1   caja de cartón
1/2   lámina de icopor
      Papel crepé azul y verde
      Pegante
      Caucho

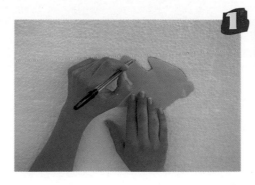

Sobre una lámina de icopor, dibuja un pez.

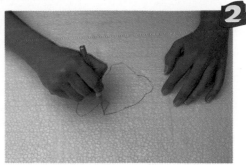

Corta los bordes con un bisturí.

Carro

*E*n el carro de papá
nos iremos a pasear
la canción del chipi chi
la canción del chapa
chapa...

Materiales

1   caja de cartón
      Papel crepé amarillo y
      de otro color que quieras
      Pintura negra
      Bisturí

Forra la caja con el papel crepé que desees y corta un agujero en la parte superior para la cabeza y en las dos partes laterales para los brazos.

Corta dos círculos de papel crepé amarillo para simular las luces.

Pinta y decóralo con escarcha.

Forra la caja con el papel crepé azul.

Corta tiras de papel, simulando algas, y pégalas sobre la parte inferior del frente de la caja.

Pega los peces de icopor.

Usa tu disfraz con una trusa azul y un gorro de baño.

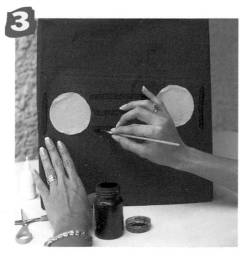

Pégalas en el frente del carro y pinta las líneas del radiador.

Diseña en cartulina el escudo de tu marca preferida, píntalo, recórtalo y pégalo en tu carro.

Piña

El corazón de la piña
se va envolviendo
y toda la gente
se va cayendo...

Materiales

1   lámina de icopor
1   pliego de papel crepé amarillo
    y otro café
1   pliego de papel crepé verde
    Tijeras
    Caucho
    Diadema
    Escarcha verde
    Lentejuelas verdes
    Bisturí

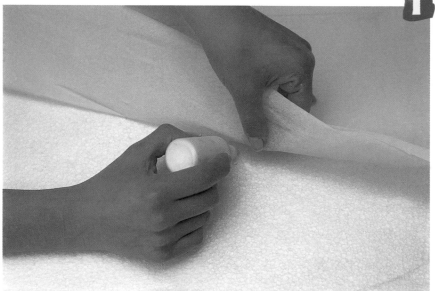

Corta dos lámina de icopor en
forma de óvalo y fórralas en
papel crepé amarillo

Recorta tiras de papel crepé
cafe y pégalas formando una
cuadrícula de líneas diago-
nales.

Pega bolitas de papel crepe amarillo y cafe en el centro de cada rombo.

Une las láminas con tirantes de velcro.

Para la cabeza

Realiza una diadema como lo indica la página 16.

Corta hojas de diferente tamaño de papel crepé y pégalas.

Usa una trusa de color amarillo para tu disfraz.

Regalo

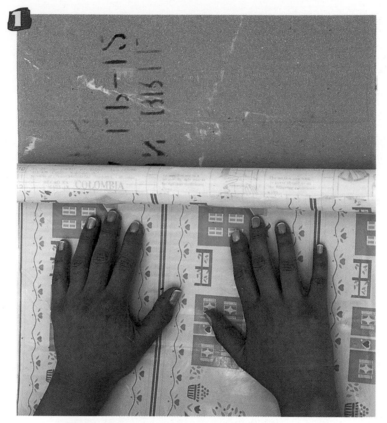

Materiales

1   caja de cartón
     Papel de regalo
     Cinta de regalo
     Pintura negra
     Bisturí

Forra con papel de regalo una caja.

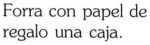

Con un bisturí, hazle un hueco en la parte superior.

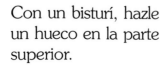

3

Para la cabeza

Elabora la diadema con una tarjeta, como lo indica la página 16.

4

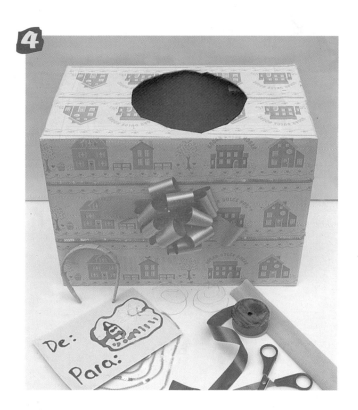

Decora la caja con cintas y lazos a tu gusto.

Usa una trusa del color que desees, de acuerdo con el papel regalo que utilices para decorar la caja.

Muñeco de nieve

Materiales

2   medias esferas de icopor
1   gorrito de lana
    Bufanda
    Hilo caucho
    Pegante
    Pintura negra y blanco
    Escarcha plateada
    Spray de navidad

Coge una de las mitades de icopor y píntale círculos, imitando los botones del vestido.

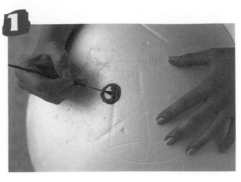

Decora con escarcha.

Esparce sobre el icopor spray de navidad.

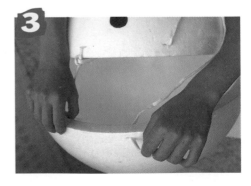

Abre dos orificios a cada mitad del icopor para pasar dos tiras de caucho que sirvan de tirantes.

Máscaras

Las máscaras y el maquillaje son técnicas que han sido utilizadas desde la Antigüedad y forman parte de un sin numero de carnavales y fiestas tradicionales.

Para realizar las máscaras se pueden emplear diversos materiales como arcilla, icopor, papel, etc. Pero lo más importante es dar rienda suelta a la imaginación para crear diseño originales y vistosos que permitan esconder el rostro por algunos momentos y transformarse en diversos personajes.

Máscara de papel y engrudo, máscara de yeso, máscara de arcilla, máscara de cartulina, máscara en plato de icopor, antifaces y mucho más encontraras. Manualidades fáciles y divertidas para elaborar en casa o en el colegio.

Máscara
de papel y engrudo

Material
1   globo inflado
       Tiras rasgadas de papel de revista
       Engrudo
       Tijeras
       Bisturí
       Pintura
       Pinceles

Elabora el engrudo y rasga el papel en tiras.

Corta el papel endurecido por la mitad y desprende el globo.

Cubre el globo con el engrudo y pégale las tiras de papel. Pégalas en diferentes direcciones hasta que el globo quede totalmente cubierto.

Deja secar por dos días, cambiándole la posición hasta que seque por todos los lados.

Recorta el contorno, dándole el tamaño de la cara. Ubica la posición de la nariz, boca, ojos y corta los espacios correspondientes con un bisturí.

Engrudo

En una olla, coloca harina y azúcar.
Calienta la mezcla en la estufa, agregando lentamente el agua sin dejar de revolver.
Cuando se obtenga una masa suave, retira de la estufa y deja enfriar.

Pinta la máscara como tú quieras. Puedes pintar la mitad de un color y la otra mitad de otro para darle un apariencia especial.

Para sostenerla, decora la máscara con escarcha.
Pega un bajalenguas en la parte inferior trasera.

59

Máscara
de yeso

Materiales

Rollo mediano de bandas de
yeso
Vasija de agua
Vaselina
Tijeras y punzón
Pinturas
Pinceles
Hilocaucho

1

Corta las vendas en tiras de diversos tamaños y grosores. Calcula la cantidad necesaria para cubrir la cara del niño.

5

Deja secar un poco y levanta la máscara cuidadosamente.

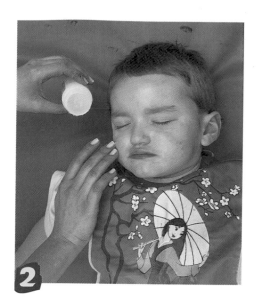

Cubre la cara del niño con vaselina, para proteger la piel.

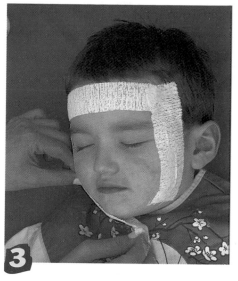

Humedece cada tira y colócala sobre la cara del niño. Comienza estructurando los bordes externos.

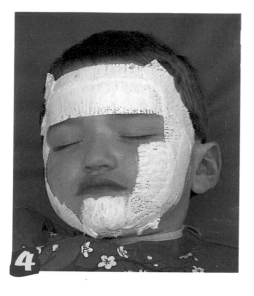

Luego ve rellenando hasta que le des forma a la máscara.

Colócala sobre una superficie y espera 2 horas para que termine de secar.

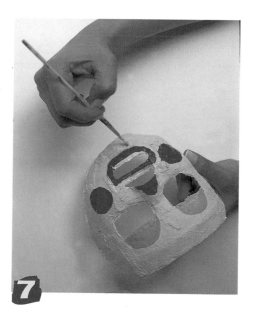

Pinta la máscara con pintura. Con un punzón, abre dos agujeros.

Pon el hilocaucho para agarrar la máscara a la cabeza del niño.

Máscara
de arcilla

Material

Arcilla que se endurezca
con agua
Rodillo
Punzón
Vasija con agua
Pintura
Pinceles

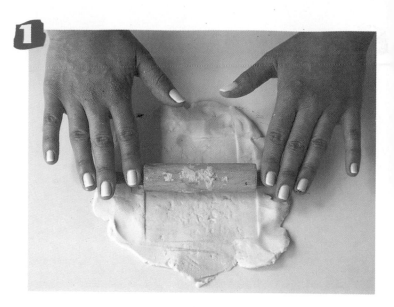

Extiende la arcilla con el rodillo hasta que esté completamente plana.

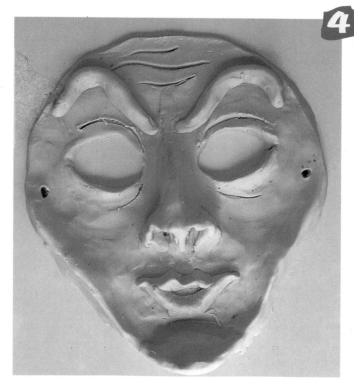

Con la ayuda de un punzón, abre agujeros a cada lado de la máscara, a la altura de los ojos.

Con el punzón, delinea en forma ovalada el contorno de la arcilla para formar la cara. Demarca los ojos abriendo dos óvalos.

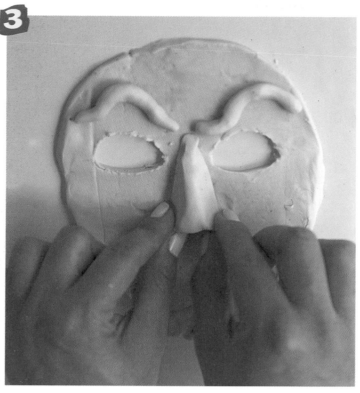

Modela la nariz, las cejas y la boca, utilizando algunos trozos de arcilla adicional.

Coloca la máscara dentro de una vasija con agua durante media hora.

Retírala y déjala secar por 6 horas. Píntala con colores vistosos.

Máscaras
de cartulina

*P*ara elaborar estas lindas máscaras, necesitarás las plantillas que encontrarás en el pliego adicional de moldes.

Material

1   pliego de cartulina
    Lápiz
    Crayolas o pastel óleo de diversos colores
    Tijeras
    Hilocaucho
    Papel adhesivo transparente

Dibuja el contorno de la máscara que más te agrade y recórtala.

Coloréala con crayolas o pasteles, usando diversos colores.

Forra la máscara con el papel adhesivo transparente.
Realiza un agujero en cada una de los extremos e introduce hilocaucho para ajustarla a la cabeza.

en plato de icopor

Realiza cortes con el bisturí, simulando los ojos, la nariz y la boca. Recorta el borde.

Pinta el plato con el diseño que quieras.

Materiales

Plato de icopor
Pinturas de colores
Pinceles
Punzón
Hilocaucho
Bisturí

Ábrele agujeros a los lados y coloca el hilocaucho.
Prueba diferentes diseños.

Antifaces

Materiales

Revistas
Tijeras
Cartón paja
Pegante
Bajalenguas

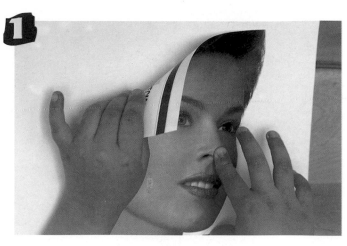

En revistas, busca unas caras que te resulten llamativas.

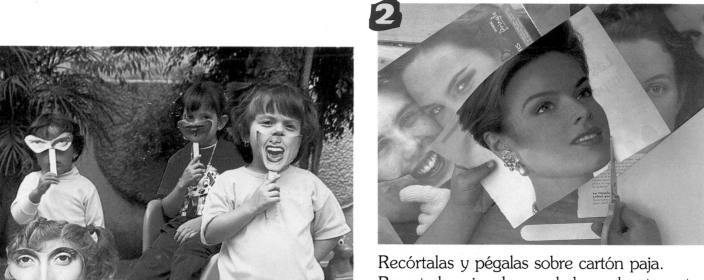

Recórtalas y pégalas sobre cartón paja. Recorta los ojos de una, la boca de otra, etc.

Colócales un bajalenguas para sostenerlo y disfrútalas.

Maquillaje

El maquillaje reúne técnicas que han sido utilizadas desde la Antigüedad y forman parte de un sin numero de carnavales y fiestas tradicionales.

Para maquillar el rostro, actualmente existen en el mercado infinidad de productos que permiten transformar nuestra cara en hermosos conejitos, sapos, mariposas, hadas, monstruos, brujas, etc.

El maquillaje puede ser un excelente complemento para cualquier disfraz, pero un maquillaje cuidadosamente elaborado como aquí te lo enseñamos puede convertirse en algo más importante que el disfraz en sí.

Para realizar este tipo de actividad, siempre debes usar productos especiales para maquillaje. En el mercado existen tiendas especializadas en este tipo de pinturas y en donde encontrarás todos los productos necesarios.

Conejo, Sapo, Espantapájaros, Tigre, Mariposa, Payaso, Bruja, Calabaza, Tatuaje.

Conejo

Salta mi conejito,
come tu arracachita,
conejo mío,
conejo mío…

Con un lápiz blanco, dibuja las líneas que delimitan los ojos y con un lápiz negro delinea las cejas y la nariz.

Dibuja y sombrea con blanco dos grandes círculos en las mejillas y en la barbilla.

Rellena de gris las zonas que están por fuera de los círculos. Sombrea con pintura negra los párpados, y con blanca el espacio superior de las cejas.

Sapo

Hoy he visto un sapo,
navegando en un río,
con camisa blanca
y tiritando de frío..

Con verde oscuro, dibuja una máscara de las mejillas para abajo y difumínala con una esponja de látex.

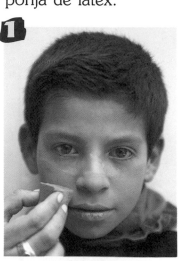

Con rosado, rellena la nariz. Sobre el labio inferior pinta dos cuadrados simulando los dientes y rellénalos de blanco con un pincel.

Pinta con rosado el resto de los labios.
Con un delineador negro, simula los bigotes del conejo.

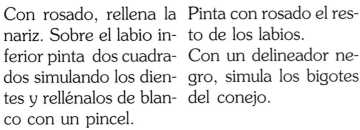

Dibuja un antifaz de color amarillo alrededor de los ojos, dejando espacios grandes alrededor de los ojos.

Delinea con negro graso el borde del antifaz.

Con un pincel redondo, haz puntos negros en la frente.

Realiza dos líneas blancas y en el centro de ellas una negra de lado a lado de la barbilla.

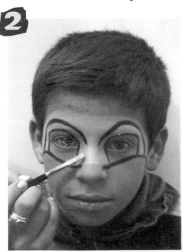

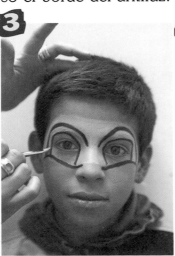

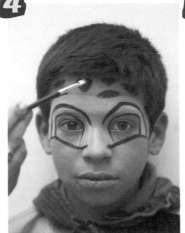

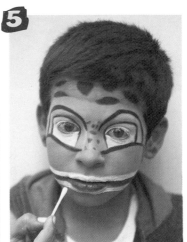

Espantapájaros

...el espantapájaros bandido sorprendio a Pinocho dormido y lo atacó...

Con lápiz negro, delinea un triángulo sobre cada ojo, otro sobre la nariz y dos líneas a lado y lado de la boca.

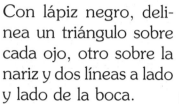

Con un pincel, esparce dorado por toda la cara del niño.

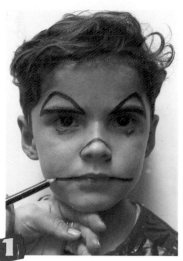

Rellena de negro los triángulos que quedan.

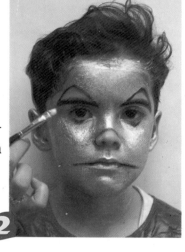

Traza líneas verticales por toda la cara del niño, desde el pelo hasta la barbilla.

1

Crea volumen con color blanco graso alrededor de la boca y los ojos y algunos trazos triangulares para simular manchas en el entorno del rostro. Utiliza un pincel o en su defecto un palito con algodón.

2

Realiza unos trazos de color naranja en los espacios vacíos, simulando rayos.

4

Encima del blanco y el naranja, realiza trazos desordenados de color negro.

3

Pinta los ojos en forma alargada y rellénalos de negro. Pinta de negro la parte de abajo de la nariz.

5

Con laca de color naranja, diseña tu melena.

Mariposa

Con un lápiz café, delinea el tronco de la mariposa sobre la nariz, desde los labios hasta la frente. En la frente, pinta las antenas.

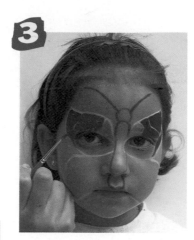

Con un lápiz de color blanco, delinea las alas superiores de una mariposa, alrededor de los ojos, y las alas inferiores sobre las mejillas.Realiza trazos dentro de las alas superiores.

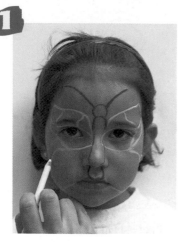

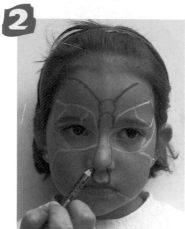

Con pintura de diferentes colores, rellena los trazos que diseñaste dentro de las alas superiores, teniendo en cuenta que las dos alas deben quedar iguales.

Calabaza

Pinta de color naranja la cara del niño.

Con amarillo o dorado, pinta el tronco de la mariposa. Con un pincel delgado, traza líneas horizontales de color café.

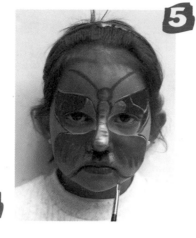

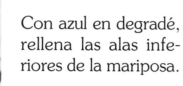

Con azul en degradé, rellena las alas inferiores de la mariposa.

Decora con escarcha.

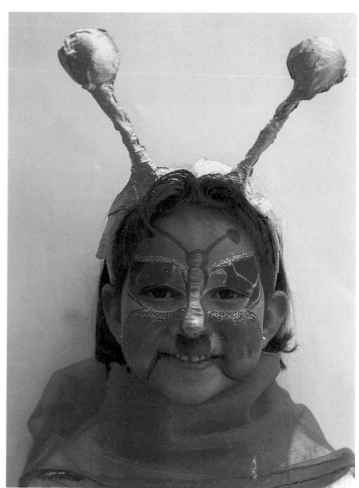

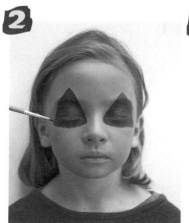

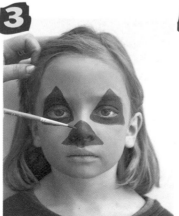

Simula la carita de la calabaza, pintando los ojos, la nariz y la boca con pintura negra.

Pinta la boca con la misma pintura, haciendo trazos irregulares.

Sobre la frente, pinta el penacho de la calabaza con negro, verde y blanco.

73

Payaso

El payaso Plim Plim se pincho la nariz y con un estornudo hizo fuerte ¡achis!

Con lápiz blanco, traza las zonas que delimitan las cejas, los ojos y la nariz y realiza dos círculos al lado de la boca y una media luna debajo de esta.

Usando el dedo y con pintura blanca grasa, rellena el reto de la cara.

Colorea de negro las cejas y de azul el contorno de los ojos. En la parte inferior simula con el pincel pequeñas pestañas.

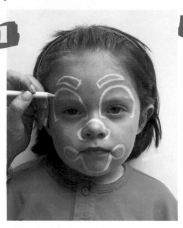 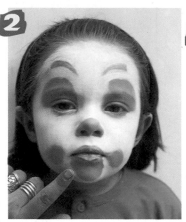 

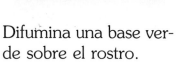

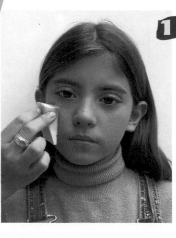 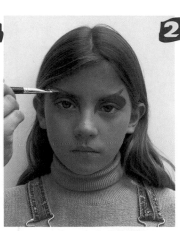

Difumina una base verde sobre el rostro.

Con un color fuerte, sombrea los ojos en forma ascendente.

74

Usando un pincel, rellena de rojo los círculos cercanos a la boca.

Decora con escarcha tu maquillaje y usa los accesorios que desees para quedar como un verdadero payaso.

4

5

Bruja

3

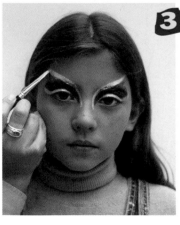

4

5

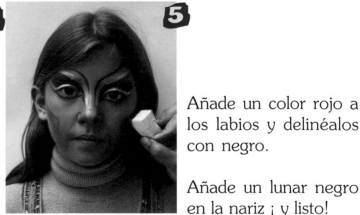

Añade un color rojo a los labios y delinéalos con negro.

Añade un lunar negro en la nariz ¡ y listo!

Aplica un color brillante en la parte superior para darle contraste y llamar la atención en la mirada.

Traza líneas de color negro desde el centro de la nariz hasta la frente.

Con color café, demarca los pómulos y las líneas de expresión.

Tatuajes

El tatuaje es una técnica de maquillaje que requiere menos elaboración y tiempo.

La dificultad puede surgir por el reducudo espacio que tienes para trabajar y la precisión con la que debes pintar para lograr tu diseño elaborado y llamativo.

A los niños les divierte y les permite participar en la escogencia de una gran variedad de temas.